KU-216-684

DE KLEINE PRINS

Ik geloof dat hij ontsnapte met een troep wilde trekvogels

ANTOINE DE SAINT-EXUPÉRY

De Kleine Prins

MET TEKENINGEN VAN DE SCHRIJVER

AD. DONKER

AAN LEON WERTH

Hopelijk zullen de kinderen mij vergeven dat ik dit boek aan een groot mens heb opgedragen. Ik heb er een goede reden voor: dit grote mens is de beste vriend, die ik op de wereld heb. En dan is er nog een reden: dit grote mens kan alles begrijpen, ook kinderboeken. En een derde reden: dit grote mens woont in Frankrijk, waar hij honger en kou lijdt. Hij heeft echt troost nodig. En als dat nog geen redenen genoeg zijn, dan wil ik dit wel opdragen aan het kind dat dit grote mens vroeger geweest is. Alle grote mensen zijn eerst kinderen geweest (maar alleen een héél enkele herinnert het zich). Ik verbeter dus mijn opdracht:

AAN LEON WERTH

toen hij nog een klein jongetje was.

I

Toen ik een jaar of zes was, zag ik op een keer een prachtige plaat in een boek over het Oerwoud, dat 'Ware Verhalen' heette. Het stelde een boa constrictor voor, die een wild dier aan het verslinden was. Zó zag die plaat er uit:

In het boek stond: 'De boa constrictor slikt zijn prooi in haar geheel in, zonder te kauwen. Daarna kan hij zich niet meer verroeren en verteert al slapende, zes maanden lang.'

Ik heb toen veel nagedacht over avonturen in de rimboe en ik slaagde erin zelf met een kleurpotlood mijn eerste tekening te maken. Tekening nummer 1. Die was zó:

Ik liet mijn meesterwerk aan de grote mensen zien en

vroeg hun of ze er bang voor waren. Zij antwoordden: 'Wie zou er nu bang zijn voor een hoed?' Mijn tekening stelde geen hoed voor maar een boa constrictor, die bezig is een olifant te verteren. Toen heb ik het binnenste van de boa getekend, zodat de grote mensen het zouden begrijpen. Die moeten altijd bij alles uitleg hebben. Mijn tekening nummer 2 was zó:

Toen hebben de grote mensen me aangeraden, mij niet meer met tekeningen van open of dichte boas te bemoeien, maar liever aan aardrijkskunde, geschiedenis, rekenen en taal te doen. Zo kwam het, dat ik op zesjarige leeftijd een schitterende schildersloopbaan liet varen. Ik voelde me ontmoedigd, door de mislukking van mijn tekening nummer 1 en mijn tekening nummer 2. Grote mensen begrijpen nooit iets uit zichzelf en voor kinderen is het vervelend hen altijd weer alles uit te moeten leggen.

Ik moest een ander vak kiezen en leerde vliegtuigen besturen. Ik heb zowat overal gevlogen. En aardrijkskunde kwam mij inderdaad heel goed te pas. Met één oogopslag kon ik China van Arizona onderscheiden. Dat is erg makkelijk als je 's nachts verdwaald bent.

Op die manier kwam ik in het leven met massa's gewichtige mensen in aanraking. Ik leefde lang temidden der grote mensen en leerde ze van héél nabij kennen. Niet dat ik hen daarom hoger aansla.

Als ik er een ontmoette, die wel een scherpzinnige

indruk maakte, nam ik de proef met mijn tekening no. 1, die ik altijd bewaard heb. Ik wilde weten, of hij werkelijk begrip had. Maar het antwoord was altijd: ' 't Is een hoed.' Dan sprak ik maar niet meer over boa constrictors of oerwouden of over de sterren. Ik richtte me naar hem en sprak over bridge, golf, politiek en dassen. En het grote mens vond het plezierig om kennis te maken met zo'n verstandig man.

II

Zo leefde ik dus alleen, zonder ooit met iemand echt te kunnen praten, totdat ik op een keer, zes jaar geleden, motorpech kreeg in de Sahara-woestijn. Er was iets stuk gegaan binnen in mijn motor, en omdat ik geen mecanicien en ook geen passagiers aan boord had moest ik proberen om helemaal alleen een moeilijke reparatie uit te voeren. Het was voor mij een kwestie van leven of dood. Ik had nauwelijks voor acht dagen drinkwater bij me.

De eerste avond sliep ik dus in het zand, wel duizend mijl ver van de bewoonde wereld. Ik was veel eenzamer dan een schipbreukeling op een vlot midden op de oceaan. Je kunt je dus voorstellen, hoe verrast ik was bij het aanbreken van de dag, toen een grappig klein stemmetje me wekte. Het zei: 'Toe — teken eens 'n schaap voor me.'

— Hè? —

— Teken eens 'n schaap voor me —

Ik sprong op, alsof ik door de bliksem getroffen was — wreef mijn ogen uit en keek eens goed. En ik zag een héél uitzonderlijk klein kereltje, dat me ernstig aankeek. Kijk, dit is het beste portret, dat ik later van hem heb kunnen maken. Maar mijn tekening is natuurlijk véél minder aardig, dan het model. Dat is mijn schuld niet. Toen ik zes was hadden de grote mensen me afgeraden om schilder te worden en ik had niet leren tekenen, behalve dan dichte boa constrictors en open boa constrictors.

Ik bekeek die verschijning dus met ogen die rond van verbazing waren. Vergeet niet, dat ik duizend mijl van de bewoonde wereld was. Maar dat kleine ventje zag er niet uit, alsof hij verdwaald was, of doodmoe of hongerig, of dorstig of angstig. Hij had niets van een verloren kind in de woestijn, duizend mijl van de bewoonde wereld af.

Toen ik eindelijk een woord kon uitbrengen, vroeg ik hem: 'Wat doe je hier eigenlijk?' En toen herhaalde hij héél zacht, alsof het iets héél ernstigs gold 'Toe, teken eens 'n schaap voor me.'

Als het geheimzinnige al te veel indruk op ons maakt, moeten wij wel gehoorzamen. Hoe zinloos het mij ook leek, — op duizend mijl van de bewoonde wereld en in doodsgevaar — ik haalde een blaadje papier en een vulpen uit mijn zak. Maar toen bedacht ik, dat ik vooral aardrijks-kunde, geschiedenis, rekenen en taal geleerd had en ik zei, een beetje humeurig, tegen het kereltje, dat ik niet tekenen kon. Hij antwoordde:

— Dat doet er niet toe. Teken maar 'n schaap voor me.

 En omdat ik nog nooit een schaap getekend had, maakte ik nog maar eens een van de twee enige tekeningen waartoe ik in staat was voor hem. De dichte boa constrictor. En stomver-baasd hoorde ik hem zeggen:

Kijk, dit is het beste portret dat ik later van hem
heb kunnen maken

— Nee, nee! ik wil geen olifant in 'n boa. 'n Boa constrictor is veel te gevaarlijk en een olifant neemt zoveel ruimte. Ik woon erg klein. Ik heb 'n schaap nodig. Teken nou een schaap voor me.

Toen tekende ik het dan maar. Hij bekeek het aandachtig en zei:

— Nee, dat schaap is nù al zo ziek. Maak er nog maar een.

Ik tekende.

Mijn vriendje lachte vriendelijk en toegeeflijk.

— Je ziet toch wel dat dat geen schaap is: 't is een ram, hij heeft horens...

Nog eens maakte ik mijn tekening over.

Maar die werd ook al geweigerd, net als de vorigen. — Die is te oud. Ik wil een schaap, dat lang blijft leven.

Toen werd ik ongeduldig, want ik wilde gauw beginnen mijn motor uit elkaar te halen. Ik maakte dit krabbeltje en zei: 'Dat is de kist. Je schaap zit erin.'

Tot mijn verbazing zag ik het gezicht van mijn kleine kunstcriticus stralen.

— Ja, zo wilde ik 't precies hebben!

— Denk je dat het schaap veel gras nodig heeft?

— Waarom?

— Omdat ik maar een héél klein tuintje heb.

— Dat zal best gaan. Ik heb je een héél klein schaapje gegeven.

Hij boog z'n hoofd over de tekening: Zo piepklein is

het nu ook weer niet . . . Hé! Het is ingeslapen . . .

En dat was dan mijn kennismaking met de kleine prins.

III

Ik had een hele tijd nodig om te begrijpen waar hij vandaan kwam. De kleine prins ondervroeg mij voortdurend maar scheen mijn vragen nooit te horen. Pas langzamerhand, door toevallig gesproken woorden, is het mij alles duidelijk geworden. Zo vroeg hij, toen hij voor het eerst mijn vliegtuig zag (ik zal het maar niet uittekenen, dat is me veel te moeilijk):

— Wat is dat voor een ding?

— Dat is geen ding. Het vliegt. Het is een vliegtuig, *mijn* vliegtuig.

En ik was er een beetje trots op hem te vertellen, dat ik kon vliegen. Toen riep hij uit:

— Maar dan ben je uit de hemel gevallen!

— Ja, zei ik bescheiden.

— Nee maar, dat is gek . . .

En de kleine prins lachte zo grappig, dat hij me erg boos maakte. Ik stel er prijs op dat men mijn ongeluk ernstig opneemt.

13

Toen zei hij weer:

— Dus dan kom jij ook uit de hemel! Van welke planeet?

Meteen begreep ik, dat dit een beetje licht zou werpen op de geheimzinnigheid van zijn verschijning en ik vroeg plotseling:

— Dus jij komt van een andere planeet?

Maar hij antwoordde niet. Zacht schudde hij zijn hoofd terwijl hij mijn vliegtuig bekeek:

— Ja, daarmee kom je natuurlijk niet van ver...

En een hele tijd was hij in gepeins verzonken. Toen haalde hij mijn schaap uit zijn zak en bekeek zijn schat met diepe aandacht.

Je begrijpt wel hoe nieuwsgierig ik was geworden door die vage aanduiding van 'de andere planeten'. Ik trachtte daarover dus meer te weten te komen.

— Waar kom je vandaan, klein kereltje? En waar is je 'thuis'? Waarheen wil je je schaap meenemen?

Na een lang, peinzend stilzwijgen antwoordde hij:

— Weet je wat mooi uitkomt? Met die kist die je me gegeven hebt, heeft het schaap meteen een huisje voor de nacht.

— Natuurlijk. En als je lief bent, zal ik ook een touw geven om het overdag vast te leggen. Met een paaltje.

Dit vond hij blijkbaar een vreemd plan.

— Vastbinden! Wat een gek idee.

— Maar als je hem niet vastbindt, loopt hij weg en verdwaalt...

Toen schaterde hij het weer uit.

— Maar waar moet hij heen?

— Zo maar ergens. Rechtuit...

Toen zei de prins ernstig:

De kleine prins op de asteroïde B 612

— Dat doet er niets toe. Bij mij thuis is het allemaal zo klein!

En een beetje verdrietig misschien voegde hij eraan toe:

— Rechtuit kom je niet erg ver...

IV

Zo was ik dan weer achter iets heel belangrijks gekomen: de planeet waar hij vandaan kwam, was niet veel groter dan een huis!

Dat hoefde me ook niets te verbazen. Ik wist wel, dat er behalve de grote planeten zoals de Aarde, Jupiter, Mars en Venus, die namen hebben, nog honderden andere zijn

— soms zo klein, dat men ze zelfs met een telescoop moeilijk kan zien. Als een sterrenkundige er een ontdekt geeft hij hem een nummer bij wijze van naam. Hij noemt hem bijvoorbeeld 'asteroïde 3251'.

Ik heb reden te geloven dat de planeet waar het prinsje vandaan

kwam de asteroïde B 612 was. Die is maar één keer met de telescoop gezien, in 1909 door een Turks sterrenkundige.

Deze legde toen zijn ontdekking uitvoerig uit op een Internationaal Congres voor Sterrenkunde. Maar niemand geloofde hem, om zijn Turkse kleren. Zo zijn de grote mensen.

Gelukkig voor de bekendheid van de asteroïde B 612 dwong een Turkse dictator zijn volk zich Europees te kleden. Er stond zelfs de doodstraf op, als men het niet deed. In 1920 hield de sterrenkundige zijn uitlegging nog eens, ditmaal in een keurig pak. En nu was iedereen het met hem eens.

Al deze dingen over de asteroïde B 612 en over het nummer heb ik jullie verteld met het oog op de grote mensen. Grote mensen houden van cijfers. Wanneer je hun vertelt van een nieuwe vriend vragen ze nooit het belangrijkste. Ze zeggen nooit: 'Hoe klinkt zijn stem? Van welke spelletjes houdt hij het meest? Verzamelt hij vlinders?' Maar ze vragen: 'Hoe oud is hij? Hoeveel weegt hij? Hoeveel broertjes heeft hij? En hoeveel verdient zijn vader?' Dan pas vinden ze dat ze hem kennen. Als je tegen de grote mensen

zegt: 'Ik heb een prachtig huis gezien van rose baksteen, met geraniums voor de ramen en duiven op het dak...' dan kunnen ze zich dat huis niet voorstellen. Je moet zeggen: 'Ik heb een huis van vijftigduizend gulden gezien' — Dan roepen ze: 'Wat mooi!'

En al net zo gaat het als je zegt: 'Het bewijs dat de kleine prins bestaan heeft, is dat hij er lief uitzag dat hij lachte en een schaap wilde hebben. Als je graag een schaap wilt hebben is dat het bewijs dat je bestaat.' Ze zullen de schouders ophalen en je voor een klein kind uitmaken. Maar als je zegt: 'De planeet waar hij vandaan kwam is de asteroïde B 612' — dan geloven ze het meteen en laten je verder met rust met hun vragen. Zo zijn ze nu eenmaal. Je moet het ze maar niet kwalijk nemen. Kinderen moeten veel geduld hebben met de grote mensen.

Maar wij, die het leven begrijpen, geven om al die nummers niets! Eigenlijk had ik dit verhaal als een sprookje willen beginnen. Dan had ik gezegd: 'Er was een een kleine prins die een planeet bewoonde, niet veel groter dan hijzelf en die een vriend nodig had.' Voor mensen, die het leven begrijpen, zou dat veel echter lijken.

Want ik vind het naar als mijn boek niet met aandacht gelezen wordt. Ik voel me heel verdrietig bij het ophalen van mijn herinneringen. Het is nu al zes jaar geleden dat mijn vriendje weg is gegaan met zijn schaap. Ik probeer hem hier te beschrijven om hem niet te vergeten. Het is naar om een vriend te vergeten. Niet iedereen heeft een vriend gehad. En ik zou als de grote mensen kunnen worden, die alleen maar cijfers geven. Ook daarom heb ik een verfdoos gekocht en potloden. Het valt niet mee op mijn leeftijd weer te gaan tekenen, als je nooit iets anders geprobeerd hebt dan een dichte boa en een open boa, toen je zes jaar was! Ik zal hem natuurlijk zo gelijkend mogelijk tekenen, maar ik weet niet zeker of het me zal lukken. De ene tekening zal misschien goed gaan en een volgende lijkt helemaal niet. Ook vergis ik me wel eens in de grootte. De ene keer is het prinsje te groot, een andere keer te klein. De kleur van zijn kleren weet ik ook niet precies. Ik ga dus maar op mijn gevoel af, op goed geluk. En ik vergis me ook in belangrijke bijzonderheden. Maar daar kan ik niets aan doen. Mijn vriend gaf nooit uitleg. Hij dacht misschien dat ik was zoals hij. Maar helaas kan ik niet een schaap door een kist heen zien. Misschien lijk ik een beetje op de grote mensen. Ik ben zeker oud geworden.

V

IEDERE dag hoorde ik wat meer over de planeet, zijn vertrek en over de reis. Het kwam er zo zoetjes aan uit, een opmerking hier en een woordje daar. Zo hoorde ik op de derde dag het drama van de apebroodbomen. Het schaap was alweer de aanleiding, want ineens vroeg de kleine prins me, alsof hij in grote onzekerheid verkeerde: 'Het is toch waar hè, dat schapen heesters eten?

—— Ja zeker is dat waar.

—— Hè, daar ben ik blij om.

Ik begreep niet precies, waarom het zo belangrijk was, dat schapen heesters eten. Maar hij vervolgde:

—— Dus dan eten ze ook apebroodbomen?

Ik merkte op, dat apebroodbomen geen heesters zijn

maar bomen zo groot als kerken en dat zelfs een hele kudde olifanten, als hij ze meenam, nog niet één enkele apebroodboom klein zou krijgen.

Om dat idee van die kudde olifanten moest het prinsje lachen:

— Dan zou je ze op elkaar moeten zetten.

Maar toen merkte hij heel verstandig op:

— De apebroodbomen zijn toch eerst klein voordat ze gaan groeien.

— Ja natuurlijk! Maar waarom moeten je schapen eigenlijk kleine apebroodboompjes eten?

Hij antwoordde: 'Dat is nogal glad' — alsof het heel duidelijk was. En ik heb mijn verstand erg moeten inspannen om die vraag op mijn eentje te beantwoorden.

Nu groeide er namelijk inderdaad op de planeet van de kleine prins — net als op alle andere planeten — kruid en onkruid, dus ook goede zaden en slechte zaden. Maar zaadjes kun je niet zien. Ze slapen binnenin de aarde totdat een van hen zin krijgt om wakker te worden. Dan rekt het zich uit en strekt eerst bedeesd een mooi klein onschadelijk sprietje naar de zon toe.

Als het een sprietje van radijs is of van een rozestruik, kan men het rustig laten groeien. Maar als het onkruid is

moet men de plant uittrekken zodra men haar herkend heeft. En nu waren er op de planeet van de kleine prins verschrikkelijke zaden ... apebroodboomzaden. De bodem van de planeet krioelde ervan. Maar een apebroodboom raak je

nooit meer kwijt, als je hem niet bijtijds aanpakt ... Hij beslaat de hele planeet en doorboort haar met zijn wortels. En als de planeet klein is en er zijn te veel apebroodbomen, kan de planeet uit elkaar barsten.

— Het is een kwestie van orde, zei de kleine prins later. 's Morgens na het aankleden moet je zorgvuldig je planeet schoonhouden. Je moet je ertoe zetten de apebroodbomen uit te trekken, zodra je ze van een rozenstruik kunt onderscheiden. Daar lijken ze namelijk erg op als ze klein zijn. Het is een heel vervelend maar heel gemakkelijk werkje.

En op een dag raadde hij mij daar eens een mooie tekening van te maken, om het de kinderen bij ons goed in te prenten.

— Als ze later eens reizen kan het hen te pas komen. In sommige gevallen is er niets op tegen je werk tot later uit te stellen, maar met apebroodbomen komt daar altijd een ramp van. Ik heb een planeet gekend waar een luiaard woonde. Hij had drie struikjes verwaarloosd . . .

En die planeet heb ik uitgetekend, naar de aanwijzingen van het prinsje. Ik wil hier geen zedepreken houden. Maar het gevaar van de apebroodbomen is zo weinig bekend en zo ernstig voor iemand, die op een asteroïde zou verdwalen, dat ik voor één keer een uitzondering maak. Dus zeg ik: 'Kinderen, pas op de apebroodboom!'

Om mijn vrienden te waarschuwen tegen een gevaar waar ze aan voorbij zijn gegaan zonder het te kennen — net als ik — heb ik zo mijn best gedaan op die tekening. Die les was de moeite waard. Misschien zal men vragen: waarom staan er in dit boek niet méér zulke mooie grote platen als die van de apebroodbomen? Daarop is het antwoord nogal eenvoudig: ik heb het geprobeerd, maar het is met niet gelukt. Bij het tekenen van de apebroodbomen was ik bezield door het besef van mijn dringende taak.

De apebroodbomen

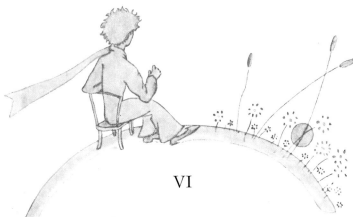

VI

Aᴄʜ, kleine prins, zo heb ik langzamerhand je droefgeestige leventje leren begrijpen. Lange tijd had je geen andere afleiding dan het ondergaan van de zon. Dat hoorde ik de vierde dag, toen je zei:

— Ik houd erg van zonsondergangen. Laten we een zonsondergang gaan zien . . .

— Maar dan moeten we wachten.

— Waarop wachten?

— Wachten totdat de zon ondergaat.

Je keek eerst erg verbaasd en toen moest je om jezelf lachen en zei:

— Ik denk nog altijd dat ik thuis ben!

Nu zit het inderdaad zo, dat als het in Amerika twaalf uur 's middags is, de zon in Frankrijk ondergaat, zoals iedereen weet. Als men maar in een minuut kon oversteken naar Frankrijk, zou men de zonsondergang kunnen bijwonen. Helaas is Frankrijk veel te ver weg. Maar jij, op je piepkleine planeet, hoefde alleen maar je stoel een eindje te verzetten. En je keek naar de avondschemering net zo vaak als je dat wenste . . .

— Eens op een dag heb ik de zon drie en veertig keer zien ondergaan!

En later zei je nog:

— Weet je, als je zó bedroefd bent, dan zie je graag de zon ondergaan . . .

— En was je die dag van drie en veertig keer dan zó bedroefd?

Maar de kleine prins antwoordde niet.

VII

En dat geheim van de kleine prins werd mij de vijfde dag duidelijk, alweer dank zij het schaap.

Plotseling vroeg hij me, als had hij er lang in stilte over nagedacht:

— Als een schaap heesters eet, eet het dan ook bloemen?

— Een schaap eet alles wat het tegenkomt.

— Ook bloemen met doornen?

— Ja, ook bloemen met doornen.

— Maar waar dienen die doornen dan voor?

Werkelijk, ik wist het niet. Ik had het juist erg druk met het losschroeven van een bout in de motor, die te stijf was aangedraaid. Ik maakte me zorgen, want de machinestoring begon me steeds ernstiger te lijken en het drinkwater raakte op, zodat ik het ergste vreesde.

— Waarvoor zijn de doornen?

De kleine prins hield altijd vast aan een vraag, als hij die eenmaal gesteld had. Maar ik was geprikkeld door die bout en zei maar wat:

— Doornen dienen nergens voor — dat is louter ondeugendheid van de bloemen.

— Oh! Even was hij stil maar zei toen nijdig:

— En ik geloof er niets van! Bloemen zijn zwak en goedgelovig. Ze stellen zichzelf zo goed mogelijk gerust. Ze vinden zich héél vervaarlijk met die doornen...

Ik antwoordde niet. Op dat moment dacht ik bij mezelf: 'Als die bout nu niet meegeeft, moet ik hem losslaan met de hamer.'

De kleine prins verstoorde mijn gedachten weer:

— En jij denkt dus, dat de bloemen...

— Och nee, helemaal niet! Ik denk helemaal niets. Ik heb maar wat gezegd. Ik heb ernstiger dingen omhanden!

Hij keek me verbaasd aan.

— Ernstiger dingen!

Hij zag me daar staan met de hamer in de hand en mijn vingers zwart van de smeerolie, gebogen over iets, dat hij héél lelijk vond.

— Nu spreek je net als de grote mensen!

Ik schaamde me wel een beetje, maar streng ging hij door:

— Je bent in de war. Je haalt alles door elkaar!

Hij was werkelijk heel boos en schudde zijn gouden haar in de wind.

— Ik weet een planeet, waar een vuurrode meneer woont. Hij heeft nooit aan een bloem geroken, nooit naar een ster gekeken. Hij heeft nooit van iemand gehouden maar altijd alleen maar optelsommen gemaakt. En net als jij zegt hij de hele dag: 'Ik ben een ernstig man. Ik ben een ernstig man.' En dan zwelt hij van trots. Maar dat is geen man, dat is een paddestoel!

— Wat zeg je?

— Een paddestoel!

Hij was nu bleek van drift.

— Sinds miljoenen jaren krijgen de bloemen doornen. En sinds miljoenen jaren eten de schapen *toch* die bloemen op. En is het dan geen ernstige bezigheid om te trachten te begrijpen, waarom ze zich zoveel moeite geven voor die doornen, die nooit enig nut hebben? Is dat dan niet belangrijk, die oorlog tussen de bloemen en de schapen? Is dat niet ernstiger en gewichtiger dan de optelsommen van een dikke vuurrode meneer? En als ik een bloem ken die enig is op de wereld, die alléén maar op mijn planeet bestaat en die bloem kan door zo'n schaapje zo maar op een dag in één hap

worden vernield, zonder dat het schaap weet wat het doet — is dat dan niet belangrijk?

Hij bloosde en ging verder:

— Als iemand van een bloem houdt waarvan er maar één bestaat op al die miljoenen sterren, dan is dat genoeg om zich gelukkig te voelen, wanneer hij naar de sterren kijkt. Dan zegt hij bij zichzelf: 'Daar ergens is mijn bloem . . .' Maar als het schaap de bloem opeet, dan is het voor hem net alsof alle sterren gedoofd worden! En is dat dan niet belangrijk?

Hij kon niets meer zeggen en barstte ineens in snikken uit. Het was donker geworden. Ik had mijn gereedschappen neergelegd en de hamer, de bout, mijn dorst en doodgaan konden mij ineens niets meer schelen. Er was immers op een ster, op een planeet, op *mijn* planeet, de Aarde, een kleine prins, die troost zocht. Ik nam hem in mijn armen. Ik wiegde hem en zei:

— Die bloem waar je zo van houdt loopt geen gevaar . . . ik zal een muilkorf tekenen voor je schaap . . . en een wapenrusting voor je bloem . . . Ik zal . . .' Ik wist niet precies wat ik moest zeggen en voelde me heel onhandig. Ik wist niet hoe ik hem kon bereiken, hoe ik weer bij hem kon komen . . . Het tranenland is zo geheimzinnig . . .

VIII

Al gauw kwam ik meer te weten over die bloem. Op de planeet van het prinsje waren altijd heel eenvoudige bloemen geweest, met één enkele rij bloemblaadjes, zij namen weinig plaats in en maakten het niemand lastig. Op een ochtend verschenen zij in het gras en

verwelkten dan 's avonds. Maar die éne bloem was op een
dag ontkiemd uit een zàadje van onbekende oorsprong en
de kleine prins had erg goed het oog gehouden op dat
sprietje, omdat het niet op de andere sprietjes leek. Het
kon wel een nieuw soort apebroodboom zijn. Maar de
plant hield al gauw op met groeien en zij begon aan een
bloem te werken. De kleine prins woonde het zetten van
een geweldige knop bij en begreep wel, dat er iets wonder-
baarlijks uit tevoorschijn moest komen, maar die bloem
kwam maar niet klaar met haar voorbereidselen, binnenin
haar groene kamertje. Met grote zorg koos zij haar kleu-
ren uit. Heel langzaam kleedde zij zich en legde ieder
bloemblaadje op zijn plaats.

   Ze wilde niet zo verfomfaaid voor de dag komen als de
klaprozen. Stralend van schoonheid wilde ze verschijnen.
Ja, ze was heel ijdel. Haar geheimzinnig gedoe had dus
dagenlang geduurd. En eindelijk op een ochtend, juist bij
zonsopgang, had ze zich vertoond.

   En nadat ze zo alles in de puntjes gedaan had, gaapte ze
en zei:

   — Hè, ik word net wakker ... Neem me niet kwalijk ... Mijn kapsel is nog helemaal in de war ...

   Toen kon de kleine prins
zijn bewondering niet meer
bedwingen.

   — Wat bent u mooi!

   — Ja, vind je niet, antwoordde de bloem zachtjes.
En ik ben tegelijk met de zon
geboren ...

De kleine prins vermoedde
wel, dat ze niet zo erg be-

scheiden was, maar ze
was zo ontroerend!

— Het is tijd om te
ontbijten, geloof ik, had
ze al gauw gezegd —
zoudt u misschien aan me
willen denken?...

En helemaal in de war,
was de kleine prins vlug
een gieter fris water gaan
halen en had er de bloem
van gegeven.

Ze had het hem al spoedig lastig gemaakt met haar
veeleisende ijdelheid. Zo had ze op een dag tegen de kleine
prins over haar vier doornen gesproken:

— Laat ze maar opkomen, de tijgers met hun klauwen!

— Er zijn geen tijgers op mijn planeet, had de kleine
prins geantwoord; bovendien eten tijgers geen gras.

— Ik ben ook geen gras, antwoordde de bloem zacht.

— Neemt u me niet kwalijk ...

— Voor tijgers ben ik niet bang, maar ik heb een hekel
aan tocht. Hebt u niet een kamerscherm?

— Een hekel aan tocht ... dat valt niet mee voor een
plant, had de kleine prins
gezegd. Wat een ingewik-
kelde bloem ...

— En 's avonds zet u
me maar onder een stolp.
Het is erg koud bij u, en
slecht ingericht. Daar
waar ik vandaan kom ...

Maar toen had ze ineens ge-
zwegen. Ze was immers als
zaadje gekomen en kon dus
nooit iets weten van andere
werelden. Vol schaamte, dat
ze zich zo kinderachtig in de
kaart had laten kijken, kuchte
ze een paar maal om de kleine
prins te laten voelen dat hij in
gebreke was.

— Dat kamerscherm? . . .

— Ja, ja — ik wilde het net gaan halen maar u sprak nog
tegen me.

Toen had ze haar kuch nog wat aangedikt om hem toch
een beetje berouw te laten voelen.

En zo was de kleine prins, ondanks zijn goede wil en
zijn liefde, al gauw aan haar gaan twijfelen. Hij had een
paar onbelangrijke woorden veel te ernstig opgevat en
was daardoor heel ongelukkig geworden.

Ik had natuurlijk niet naar haar moeten luisteren, ver-
trouwde hij me eens toe. Naar bloemen moet je nooit
luisteren. Men moet ze bekijken en eraan ruiken. Mijn
bloem geurde over de hele planeet maar ik wist er niet van
te genieten. Die opmerking
over klauwen waar ik zo
kwaad om werd had ik juist
grappig moeten vinden . . .

En hij vervolgde:

— Ik heb er toen niets van
begrepen! Ik had haar moeten
beoordelen naar haar daden en
niet naar haar woorden. Ze

verspreidde geur en glans. Ik had nooit moeten weglopen. Ik had de tederheid moeten voelen achter haar armzalige streken. Bloemen spreken zichzelf altijd tegen. Maar ik was nog te jong om van haar te kunnen houden.

IX

Ik denk dat hij ontsnapte met een groep wilde trekvogels. Voor zijn vertrek maakte hij die ochtend zijn planeet keurig in orde. Zorgvuldig veegde hij de kraters van de werkende vulkanen. Twee vulkanen in werking had hij en dat was erg gemakkelijk om 's morgens het ontbijt op klaar te maken. Hij had ook een dode vulkaan. Maar zoals hij zei: 'Je kunt nooit weten!' en daarom veegde hij die ook goed uit. Als vulkanen goed onderhouden worden branden ze zacht en regelmatig zonder uitbarstingen. Vulkanische uitbarstingen zijn net als schoorsteenbrandjes. Op deze aarde zijn wij natuurlijk veel te klein om onze vulkanen te vegen. Daarom hebben we er ook zo'n last mee.

Een beetje bedroefd trok het prinsje ook de laatste sprietjes apebroodbomen uit. Hij dacht, dat hij nooit meer terug zou komen. Maar hij deed die morgen al zijn gewone werkjes met bijzonder veel liefde. En toen hij de bloem voor het laatst begoot en haar veilig onder haar stolp wilde zetten, merkte hij dat hij moest huilen.

— Vaarwel, zei hij tegen de bloem.

Maar ze antwoordde niet.

Nog eens zei hij: 'Vaarwel.'

De bloem kuchte, maar nu niet van verkoudheid.

Zorgvuldig veegde hij de kraters van de werkende vulkanen

— Ik heb me dwaas aangesteld, zei ze eindelijk. Vergeef het me maar en tracht gelukkig te worden.

Het verbaasde hem, dat ze hem geen verwijten maakte. Hij was helemaal van de wijs en bleef maar staan met de stolp in zijn hand. Van die rustige vriendelijkheid begreep hij niets.

— Ja zeker, ik houd van je, zei de bloem. Je hebt dat nooit geweten door mijn eigen schuld. Het doet er niet toe. Maar jij hebt al net zo dwaas gedaan als ik. Probeer gelukkig te worden laat die stolp maar. Die wil ik niet meer.

— Maar die wind . . .

— Nu ja, zó verkouden ben ik nu ook weer niet . . . De frisse nachtlucht zal me goed doen. Ik ben tenslotte een bloem.

— Maar die dieren dan . . .

— Een paar rupsen zal ik wel moeten verdragen, als ik ooit vlinders wil zien. Die schijnen zo prachtig te zijn. En wie zal er verder op bezoek komen? Jij bent weg. En voor de grote dieren ben ik niet bang. Ik heb mijn klauwen.

Kinderlijk spreidde ze haar doornen uit en zei toen:

— Blijf nu niet zo hangen; dat maakt me kriebelig. Je hebt nu besloten te gaan. Ga dan ook.

Want ze wilde niet dat hij haar zag huilen. Ze was een erg trotse bloem . . .

X

Hij was in de buurt van de asteroïden 325, 326, 327, 328, 329 en 330. Die bezocht hij dus het eerst om er een bezigheid te zoeken en om wat te leren.

Op de eerste woonde een koning. Hij was in purper en hermelijn gekleed en zat op een eenvoudige maar toch heel statige troon.

— Aha, daar komt een onderdaan, riep de koning, toen hij de kleine prins zag.

En deze vroeg zich af:

— Hoe kan hij me nu herkennen — hij heeft me immers nooit gezien!

Hij wist niet, dat voor koningen de wereld heel eenvoudig is: alle mensen zijn onderdanen.

— Kom eens dichterbij, dat ik je beter kan zien, zei de koning, die geweldig trots was eindelijk als koning tegen iemand op te kunnen treden.

De kleine prins keek rond naar een plekje om te gaan zitten, maar de hele planeet was in beslag genomen door de prachtige hermelijnen mantel. Toen bleef hij dus maar staan, maar hij moest gapen omdat hij moe was.

— Het is in strijd met de etiquette om in tegenwoordigheid van een koning te gapen. Ik verbied het je, zei de vorst.

— Ik kan het niet laten, antwoordde het prinsje erg verlegen. Ik heb een lange reis achter de rug en ik heb niet geslapen ...

— Goed, zei de koning, dan beveel ik je te gapen. Ik heb in geen jaren iemand zien gapen. Een flinke gaap vind ik een bezienswaardigheid. Vooruit gaap nog eens, ik beveel het je.

— Ik word er zo verlegen van ... Nu kan ik het niet meer ... zei de kleine prins, blozend tot achter zijn oren.

— Hm, hm! antwoordde de koning. Nou ja, dan beveel ik je om af ten toe eens te gapen ...

Hij brabbelde zo'n beetje en deed wat nijdig want die koning was op één ding boven alles gesteld: dat zijn gezag erkend werd. Hij duldde geen ongehoorzaamheid. Hij was een absoluut monarch. Maar omdat hij een heel goed hart had, waren zijn bevelen redelijk.

Hij zei wel eens: 'Wanneer ik aan een generaal bevel gaf zich in een zeemeeuw te veranderen, zou het niet de schuld van de generaal zijn als hij niet gehoorzaamde. Dat zou *mijn* schuld zijn.

— Mag ik gaan zitten? vroeg de kleine prins verlegen.

— Ik beveel je te gaan zitten, antwoordde de koning en verlegde statiglijk een slip van zijn hermelijnen mantel.

Toch was de kleine prins verbaasd. De planeet was heel klein. Waarover regeerde de koning eigenlijk?

— Sire, zei hij, neemt u me niet kwalijk dat ik u wat vraag ...

— Ik beveel je mij vragen te stellen, zei de koning vlug.

— Sire, waarover regeert u?

— Over alles, zei de koning eenvoudigweg.

— Over alles?

Met een bescheiden gebaar wees de koning op zijn eigen planeet, op de andere planeten en op de sterren.

— Over dat alles?

— Over dat alles ... antwoordde de koning.

Want hij was niet alleen een absoluut maar ook een algemeen heerser.

— En doen de sterren wat u zegt?

— Ja natuurlijk, stipt. Ongehoorzaamheid verdraag ik niet.

De kleine prins stond verbaasd over zoveel macht. Als

hij die macht zelf had, zou hij op
één dag niet alleen vierenveertig
maar wel tweeënzeventig of zelfs honderd of tweehonderd
keer de zon kunnen zien ondergaan, zonder dat hij ooit
zijn stoel hoefde te verzetten. Hij werd een beetje verdrietig bij de herinnering aan zijn eigen kleine planeet die daar
nu verlaten lag en daarom durfde hij de koning een gunst
te vragen:

— Ik wilde zo graag een zonsondergang zien . . . doet u
me een plezier en beveelt u de zon om onder te gaan . . .

— Als ik een generaal beval van de ene bloem naar de andere te fladderen als een vlinder, of een treurspel te schrijven of zich in een watervogel te veranderen, en als dan die generaal het bevel niet uitvoerde, wie zou dan ongelijk hebben, hij of ik?

— Natuurlijk u, zei de kleine prins zonder aarzelen.

— Juist. Men moet van niemand meer eisen dan hij geven kan. Gezag steunt in de eerste plaats op verstand. Als je het volk beveelt zich in zee te storten, komt het volk in opstand. Ik heb het recht gehoorzaamheid te eisen omdat mijn bevelen redelijk zijn.

— En ... die zonsondergang? zei het prinsje weer, die nooit een eenmaal gestelde vraag vergat.

— Ja, je zonsondergang krijg je. Daar zal ik op staan. Maar in mijn wijze regeringskunst wacht ik tot de omstandigheden gunstig zijn.

— En wanneer is dat dan? vroeg de kleine prins.

— Hm, hm! antwoordde de koning en keek eerst eens in een dikke kalender, hm, hm! vanavond, een minuut of tien over half acht. En dan zul je eens zien hoe stipt ik gehoorzaamd word.

De kleine prins gaapte. Het speet hem van de zonsondergang en hij verveelde zich ook al een beetje.

— Ik heb hier eigenlijk niets meer te doen. Ik zal maar weer weggaan!

— Nee, ga nu niet weg, antwoordde de koning, die zó trots was een onderdaan te hebben. Ga niet weg, ik maak je minister!

— Minister waarvan?

— Van, eh, justitie.

— Maar er valt hier over niemand te oordelen!

—Dat weet je niet, zei de koning. Ik ben mijn koninkrijk

nog niet rond geweest. Ik ben héél oud, ruimte voor een koets heb ik niet en lopen is me te vermoeiend.

— O, maar ik heb het allang gezien, zei de kleine prins en boog zich voorover om nog eens te kijken aan de andere kant van de planeet — dáár is ook niemand.

— Dan zal je dus over jezelf oordelen, antwoordde de koning. Dat is het moeilijkste. Het is veel moeilijker over jezelf te oordelen dan over anderen. Als het je lukt om een juist oordeel over jezelf te hebben, dan heb je de ware wijsheid gevonden.

— Maar ik kan best ergens anders over mezelf oordelen — daarvoor hoef ik hier niet te wonen.

— Hm, hm! zei de koning, ik geloof dat er ergens op mijn planeet een oude rat huist. Ik hoor hem 's nachts. Die zou je van tijd tot tijd ter dood kunnen veroordelen. Dan hangt zijn leven af van jouw rechtvaardigheid. Maar dan schenk je hem iedere keer genade om hem te sparen. We hebben er maar één.

— Ik veroordeel niet graag ter dood, zei de kleine prins, en ik geloof heus dat ik nu opstap.

— Nee, zei de koning.

Maar toen de kleine prins zich klaar had gemaakt, wilde hij de oude vorst geen verdriet doen:

— Als Uwe Majesteit stipt gehoorzaamd wil worden, zou zij mij een redelijk bevel kunnen geven. Zij zou mij kunnen bevelen binnen de minuut te vertrekken, bijvoorbeeld. Ik geloof wel, dat de omstandigheden gunstig zijn . . .

Toen er geen antwoord kwam, aarzelde de kleine prins nog even en koos tenslotte met een zucht het luchtruim.

— Ik benoem je tot ambassadeur, riep de koning hem toen haastig na en het gezag straalde van hem af . . .

Grote mensen zijn toch wel vreemd, zei de kleine prins tot zichzelf onder de reis.

XI

D<small>E</small> tweede planeet werd bewoond door een ijdeltuit.

— Aha, nu komt er een bewonderaar op bezoek! riep de ijdeltuit al van verre toen hij de kleine prins zag aanko-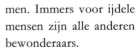men. Immers voor ijdele mensen zijn alle anderen bewonderaars.

— Goede morgen, zei de kleine prins. Wat hebt u een gekke hoed op.

— Dat is om te groeten, antwoordde de ijdeltuit. Om te groeten als ik toegejuicht word. Jammer genoeg komt er hier nooit iemand langs.

— Och kom, zei de kleine prins, die er niets van begreep.

— Klap eens in je handen, raadde de ijdeltuit hem toen maar aan. Het prinsje klapte in zijn handen en de ijdeltuit groette bescheiden met zijn hoed.

— Dat is veel grappiger dan het bezoek bij de koning, zei de kleine prins bij zichzelf. Weer begon hij in de handen te klappen en de ijdeltuit begon weer te groeten met zijn hoed.

Toen dat zo vijf minuten geduurd had, kreeg de kleine prins er genoeg van:

— En wat moet ik doen om de hoed te laten vallen? zei hij.

Maar de ijdeltuit hoorde hem niet eens; ijdeltuiten luisteren alleen als ze in de lucht worden gestoken.

— Bewonder je me heus erg? vroeg hij aan het prinsje.

— Wat is dat: bewonderen?

— Bewonderen betekent erkennen, dat ik de mooiste, de best geklede, de rijkste en de verstandigste man op de planeet ben.

— Maar je bent helemaal alleen op de planeet!

— Doe me een plezier en bewonder me toch!

— Goed, ik bewonder je, zei de kleine prins, terwijl hij zijn schouders een beetje ophaalde, maar wat kan het je eigenlijk schelen?

En toen ging hij weer verder.

— De grote mensen zijn toch wel wonderlijk, zei hij tegen zichzelf, onder de reis.

XII

De volgende planeet werd bewoond door een dronkaard. Dit werd een kort bezoekje maar het stemde de kleine prins heel bedroefd.

— Wat doe je daar? zei hij tot de dronkaard, die hij stil vond zitten bij een verzameling lege flessen en een verzameling volle flessen.

Ik drink, antwoordde de dronkaard met een somber gezicht.

— Waarom drink je? vroeg het prinsje.

— Om te vergeten, antwoordde de dronkaard.

— Om te vergeten? vroeg het prinsje weer, dat al medelijden kreeg.

— Om te vergeten dat ik me schaam, gaf de dronkaard met gebogen hoofd toe.

— En waarover schaam je je dan? informeerde de kleine prins, die hem wilde helpen.

— Ik schaam me dat ik drink, besloot de dronkaard en zei verder niets meer.

En verslagen ging de kleine prins verder.

— Grote mensen zijn toch wel héél, héél wonderlijk, zei hij bij zichzelf onder de reis.

XIII

De vierde planeet was van een zakenman. Die meneer had het zo druk, dat hij zelfs niet opkeek bij de komst van de kleine prins.

— Goede morgen, zei deze, uw sigaret is uitgegaan.

— Drie en twee is vijf. Vijf en zeven twaalf. Twaalf plus drie vijftien. Vijftien en zeven tweeëntwintig. Tweeëntwintig plus zes achtentwintig. Geen tijd om hem weer aan te steken. Zesentwintig plus vijf is eenendertig. Oef! Dat is dus vijfhonderd en een miljoen, zeshonderd tweeëntwintig duizend zevenhonderd eenendertig.

— Vijfhonderd miljoen waarvan?

— Hè? O, ben je er nog? Vijfhonderd en een miljoen . . . waarvan ook weer, . . . ik ben het vergeten . . . Ik heb het zo druk! Ik ben een ernstig mens. Ik doe niet aan flauwheden. Twee en vijf is zeven . . .

— Vijfhonderd en een miljoen waarvan? herhaalde de kleine prins, die altijd een eenmaal gestelde vraag volhield.

De zakenman keek op:

— In de vierenvijftig jaar dat ik deze planeet bewoon, ben ik maar drie keer gestoord. De eerste keer, was tweeëntwintig jaar geleden door een meikever, die zo maar uit de lucht kwam vallen. Hij maakte een afgrijselijk lawaai en ik vergiste me vier keer in een optelling. De tweede keer was elf jaar geleden door een aanval van rheumatiek. Ik krijg niet genoeg beweging. Ik heb geen tijd voor wandelingetjes — daarvoor ben ik te ernstig. De derde keer, dat is nu! Ik zei dus vijfhonderd en één miljoen . . .

— Miljoen waarvan?

De zakenman begreep dat hij er niet aan ontkwam.

— Miljoen van die kleine dingetjes, die je soms in de lucht ziet.

— Vliegen?

— Nee, nee, ze glimmen.

— Bijen?

— Och nee, die kleine gouden dingetjes, waar nietsnutten van gaan dromen. Maar ik ben een verstandig man! Ik heb geen tijd om te dromen.

— O, de sterren?

— Ja juist, sterren.

— En wat doe je met vijfhonderd miljoen sterren?

— Vijfhonderd en één miljoen, zeshonderd tweeëntwintig duizend zevenhonderd eenendertig. Ik ben een ernstig en precies mens.

— En wat doe je met die sterren?

— Wat ik er mee doe?

— Ja.

— Niets, ik bezit ze.

— Bezit je de sterren?

— Ja.

— Maar ik heb ook al een koning gezien, die . . .

— Koningen bezitten niet. Zij 'regeren over'. Dat is iets héél anders.

— En wat heb je eraan de sterren te bezitten?

— Daar heb ik aan, dat ik rijk ben.

— En wat heb je eraan om rijk te zijn?

— Om weer sterren bij te kopen, als iemand ze vindt.

— Dat is net zo'n redenering als van mijn vriend de dronkaard, zei het prinsje in zichzelf. Maar hij vroeg toch door:

— Hoe kun je sterren bezitten?

— Van wie zouden ze dan wèl zijn? antwoordde de zakenman snibbig.

— Dat weet ik niet, van niemand.

— Dan zijn ze dus van mij, want ik heb er het eerst aan gedacht.

— Is dat genoeg?

— Ja zeker. Als jij een diamant vindt, die aan niemand toebehoort dan is die van jou. Als je een eiland vindt, dat van niemand is, is het van jou. Als jij het eerst iets bedenkt, neem je er patent op en het idee is van jou. En zo bezit ik de sterren, omdat niemand vóór mij eraan gedacht had ze te bezitten.

— Ja, dat is waar, zei de kleine prins. En wat doe je ermee?

— Ik beheer ze. Ik tel ze en tel ze nog eens over, zei de zakenman. Het is wel moeilijk, maar ik ben een ernstig man.

De kleine prins was nog niet tevreden.

— Als ik een das bezit, kan ik die omslaan en meenemen. En als ik een bloem bezit kan ik haar plukken en meenemen. Maar jij kunt de sterren niet plukken!

— Nee, maar ik kan ze op de bank zetten.

— Wat betekent dat?

— Dat betekent, dat ik een aantal van mijn sterren op een papiertje schrijf en dan stop ik dat papiertje in een la en doe de la op slot.

— En is dat alles?

— Dat is genoeg.

— Dat is grappig, dacht de kleine prins. Het is nogal poëtisch maar niet zo ernstig.

De kleine prins had heel andere opvattingen dan grote mensen over wat ernstig is en wat niet.

Hij zei weer: 'Ik bezit een bloem die ik elke dag begiet, en drie vulkanen die ik elke week uitveeg. Want de dode vulkaan veeg ik ook — je kunt nooit weten. Voor mijn vulkanen en mijn bloem is het nuttig dat ik ze bezit. Maar jij hebt voor de sterren geen nut...'

De zakenman deed zijn mond open, maar wist geen antwoord en de kleine prins trok weer verder.

De grote mensen zijn toch wel heel wonderlijk, zei hij zo maar tegen zichzelf onderweg.

XIV

De vijfde planeet was héél bijzonder. Het was de kleinste van allen. Er was maar net genoeg ruimte voor een lantaarn en een lantaarnopsteker. De kleine prins begreep maar niet waarvoor een lantaarn en een opsteker wel konden dienen ergens in het luchtruim op een planeet zonder huis of bevolking. Maar toch zei hij tot zichzelf:

— Die man is misschien wel dwaas maar toch altijd minder dwaas dan de koning, de ijdeltuit, de zakenman of de dronkaard. Zijn werk heeft tenminste zin. Wanneer hij zijn lantaarn aansteekt, maakt hij als het ware een nieuwe ster of een bloem. Als hij zijn lantaarn dooft slaapt de bloem of de ster in. Het is een heel mooie bezigheid — en ook werkelijk nuttig, omdat het zo mooi is.

Bij zijn aankomst op de planeet groette hij de lantaarn-opsteker eerbiedig:

— Goede morgen. Waarom heb je zojuist de lantaarn uitgedaan?

— Dat is voorschrift, antwoordde de lantaarnopsteker. Goede morgen.

— Wat is dat, een voorschrift?

— Nou, dat ik mijn lantaarn moet doven. Goedenavond.

En hij stak hem weer aan.

— Maar waarom steek je hem nu weer aan?

— Dat is voorschrift, antwoordde de opsteker.

— Ik begrijp er niets van, zei de kleine prins.

— Daar is niets aan te begrijpen. Voorschrift is voorschrift. Goede morgen.

En hij doofde zijn lantaarn weer.

Toen veegde hij zich het voorhoofd met een roodgeruite zakdoek.

— Het is een verschrikkelijk beroep. Vroeger ging het nog. 's Morgens deed ik de lantaarn uit en 's avonds weer aan. De rest van de dag kon ik rusten en de rest van de nacht kon ik slapen . . .

En zijn de voorschriften dan na die tijd veranderd?

— Nee, de voorschriften niet. Dat is juist de hele ellende. De planeet is ieder jaar vlugger gaan draaien en de voorschriften zijn niet veranderd!

En verder? vroeg de kleine prins.

— Nu komt ze in één minuut rond en ik heb geen seconde rust. Eenmaal per minuut moet ik de lantaarn aan en uitdoen!

Dat is grappig! Dus bij jou duren de dagen een minuut!

— Helemaal niet grappig, zie de lantaarnopsteker. We staan nu al een maand samen te praten.

— Een maand?

Ja, dertig minuten, dertig dagen! Goedenavond.

't Is een verschrikkelijk beroep

En hij stak zijn lantaarn weer aan.

De kleine prins keek hem aan en die lantaarnopsteker die zich zo trouw aan de voorschriften hield, beviel hem wel. Hij dacht terug aan de zonsondergang die hij vroeger opzocht door zijn stoel te verschuiven. Hij wilde zijn vriend helpen:

— Weet je ... ik ken een middel voor je om uit te rusten, wanneer je dat wilt ...

Dat wil ik altijd, zei de lantaarnopsteker. Want men kan best nauwgezet en lui tegelijk zijn.

De kleine prins ging voort:

— Je planeet is zo klein, dat je er in drie stappen omheen kunt lopen. Je moet zorgen zo langzaam te lopen dat je altijd in de zon blijft. Als je uit wilt rusten, ga je lopen ... en dan duurt de dag net zo lang als je zelf wilt.

— Daar ben ik niet mee geholpen, zei de lantaarnopsteker. Ik houd in het leven vooral van slapen.

Dat is pech, zei de kleine prins.

— Dat is net pech, zei de lantaarnopsteker. Goede morgen.

En hij doofde zijn lantaarn.

Terwijl het prinsje verder reisde bedacht hij, dat alle anderen op die lantaarnopsteker neer zouden zien: de koning, de ijdeltuit, de dronkaard en de zakenman. En toch is hij de enige, die ik niet belachelijk vind. Misschien omdat hij zich met andere dingen dan met zichzelf bezighoudt.

Hij zuchtte van spijt en zei tot zichzelf:

— Dit is de enige, waarmee ik bevriend had kunnen raken. Maar zijn planeet is heus te klein. We hadden er nooit met zijn tweeën kunnen wonen ...

De kleine prins durfde zichzelf niet bekennen, dat hij zo'n spijt had over de gezegende planeet met haar veertienhonderdveertig zonsondergangen in vierentwintig uur.

XV

De zesde planeet was wel tien keer zo groot en werd bewoond door een oude Meneer, die dikke boeken schreef.

— Hé, daar komt een ontdekkingsreiziger! riep hij uit, toen hij de kleine prins zag.

Deze ging op tafel zitten en blies een beetje uit. Hij had al zoveel gereisd!

— Waar kom je vandaan? zei de oude Meneer.

— Wat is dat voor een dik boek? zei het prinsje, en wat doet u hier?

— Ik ben aardrijkskundige, zei de oude Meneer.

— Wat is dat?

— Dat is een geleerde, die weet waar de zeeën zijn en de steden, de bergen en de woestijnen.

— Dat is heel interessant, zei de kleine prins. Dat is nu eindelijk een echt vak! En hij keek eens om zich heen over de planeet van de aardrijkskundige. Hij had nog nooit zo'n statige planeet gezien.

— Uw planeet is erg mooi, zijn er oceanen?

— Dat kan ik niet weten, zei de aardrijkskundige.

— Oh! (De kleine prins was teleurgesteld).

— En bergen?

— Dat kan ik niet weten, zei de aardrijkskundige.

— En steden, rivieren en woestijnen?

— Dat kan ik ook niet weten, zei de aardrijkskundige!

— Maar u bent aardrijkskundige!

— Ja zeker, dat is ook zo, maar ik ben geen ontdekkingsreiziger. Ik heb groot gebrek aan ontdekkingsreizigers. Een aardrijkskundige gaat niet zelf de steden, rivieren, bergen, zeeën, oceanen en woestijnen tellen. Hij is te belangrijk om rond te drentelen. Hij blijft in zijn studeerkamer en daar ontvangt hij de ontdekkingsreizigers. En als hij de reisverhalen van één van hen belangrijk vindt, laat de aardrijkskundige een onderzoek instellen naar het goede gedrag van de ontdekkingsreiziger.

— Waarom moet dat?

— Omdat een leugenachtige ontdekkingsreiziger rampzalig zou zijn voor de aardrijkskundeboekjes. En ook een ontdekkingsreiziger die te veel zou drinken.

— Hoe dan! zei de kleine prins.

— Omdat dronkaards dubbel zien en dan zou de aardrijkskundige twee bergen optekenen terwijl er maar een was.

— Ik ken iemand, die een heel slecht ontdekkingsreiziger zou zijn, zei het kleine prinsje.

— Dat is heel goed mogelijk. Dus als het gedrag van de ontdekkingsreiziger behoorlijk blijkt, stelt men een onderzoek naar zijn ontdekking in.

— Gaan ze dan kijken?

— Nee, dat is te ingewikkeld. Maar men vraagt de ontdekkingsreiziger om bewijzen. Als er bijvoorbeeld sprake is van een grote berg, eist men dat hij er grote stenen mee vandaan brengt.

Toen raakte de aardrijkskundige plotseling in opwinding.

— Maar *jij* komt van ver! Jij bent ontdekkingsreiziger! Beschrijf me je planeet eens.

En de aardrijkskundige sloeg zijn dikke boek open en sleep zijn potlood. Verhalen van ontdekkingsreizigers worden eerst met potlood opgetekend. Pas als de ontdekkingsreiziger bewijzen heeft geleverd schrijft men ze met inkt.

— Nu? vroeg de aardrijkskundige.

— Och! zei het kleine prinsje, het is daar bij mij niet erg interessant. Het is maar een kleine planeet. Ik heb drie vulkanen, twee werkende en een dode. Maar je kunt nooit weten.

— Nee, je kunt nooit weten, zei de aardrijkskundige.

— Ik heb ook een bloem.

— Bloemen noteren wij niet, zei de aardrijkskundige.

— Waarom niet? Dat is juist het mooiste.

— Omdat bloemen kortstondig zijn.

— Wat betekent dat, kortstondig?

— Aardrijkskundeboeken, zei de aardrijkskundige, zijn de kostbaarste boeken ter wereld. Ze raken nooit uit de tijd. Het gebeurt maar zelden dat een berg van plaats verandert of dat een oceaan leegloopt. Wij beschrijven eeuwige dingen.

— Maar dode vulkanen kunnen weer gaan werken, onderbrak het prinsje. Wat betekent 'kortstondig'?

— Of vulkanen dood of levend zijn doet er voor ons niet toe, zei de aardrijkskundige. Voor ons is alleen de berg van belang en die verandert niet.

— Maar wat betekent nu 'kortstondig'? herhaalde het prinsje, dat altijd volhield als hij eenmaal een vraag gesteld had.

— Het betekent 'bedreigd met spoedige ondergang'.

— Wordt mijn bloem dan bedreigd met spoedige ondergang?

— Ja zeker.

— Mijn bloem is kortstondig, zei het prinsje in zichzelf, en ze heeft maar vier doornen als bescherming tegen de hele wereld! En ik heb haar helemaal alleen thuis gelaten!

Dat was zijn eerste opwelling van spijt. Maar hij vatte weer moed:

— Wat raadt u mij aan om te gaan bezoeken? vroeg hij.

—De planeet Aarde, antwoordde de aardrijkskundige, die staat gunstig bekend...

En de kleine prins reisde verder en dacht aan zijn bloem.

XVI

D<small>E</small> zevende planeet was dus de Aarde. De Aarde is niet zo maar een willekeurige planeet! Zij telt hondenelf koningen (waaronder niet te vergeten de negerkoningen), zevenduizend aardrijkskundigen, negenhonderdduizend zakenmensen, zeveneneenhalf miljoen dronkaards, driehonderdelf miljoen ijdeltuiten, dat is dus ongeveer twee miljard grote mensen.

Om een idee te krijgen van de afmetingen van de Aarde, moet men zich voorstellen dat er — voordat de elektriciteit was uitgevonden — in de zes werelddelen een waar leger van niet minder dan vierhonderd tweeënzestigduizend vijfhonderdelf lantaarnopstekers onderhouden moest worden.

Uit de verte was dat een prachtig gezicht. De bewegingen van dat leger waren geregeld als een opera-ballet. Eerst kwamen de lantaarnopstekers van Australië en Nieuw-Zeeland aan de beurt. Na hun lampjes te hebben aangestoken gingen die slapen. Dan voerden de lantaarnopstekers van China en Siberië hun deel van de dans uit en verdwenen weer tussen de coulissen. Dan waren de lantaarnopstekers in Rusland en Indië aan de beurt, en dan weer die van Afrika en Europa. Vervolgens die van Zuid-Amerika, daarna van Noord-Amerika. En nooit vergisten zij zich in het moment van opkomen. Het was een groots schouwspel.

Alleen de enige lantaarnopsteker op de Noordpool en zijn collega op de Zuidpool hadden een lui en gemakkelijk bestaan. Die werkten maar twee keer per jaar.

XVII

Als iemand erop uit is om geestig te zijn, gebeurt het wel eens dat hij een beetje jokt. Zo ben ik wel wat buiten mijn boekje gegaan met mijn beschrijving van de lantaarnopstekers. Op die manier zou ik van onze planeet een verkeerd idee kunnen geven als je haar niet kent. De mensen nemen maar héél weinig plaats in op de aarde. Als de twee miljard mensen die de aarde bevolken, allemaal rechtop gingen staan en wat dichter op elkaar — zoals bij een openluchtvergadering — dan zouden ze gemakkelijk plaats vinden op een plein van twintig mijl breed bij twintig mijl lang. Men zou de gehele mensheid bij elkaar kunnen brengen op het kleinste Zuidzee-eilandje.

De grote mensen zullen het natuurlijk niet geloven. Die verbeelden zich dat ze veel ruimte beslaan en vinden zichzelf belangrijk, net als apebroodbomen. We zullen hun dus maar aanraden om het na te rekenen — ze zijn toch zo dol op cijfers: dat zullen ze heerlijk vinden. Maar verspil je tijd niet aan zulk monnikenwerk. Dat is niet nodig. Mij kun je heus geloven.

Toen de kleine prins eenmaal op de aarde stond, was hij heel verbaasd, dat hij niemand zag. Hij werd al bang dat hij zich van planeet vergist had, toen hij op het zand iets zag bewegen, een maankleurige kronkel.

— Goedenacht, zei de kleine prins op goed geluk.

— Goedenacht, zei de slang.

— Op welke planeet ben ik terecht gekomen? vroeg het prinsje.

— Op de Aarde, in Afrika, antwoordde de slang.

— Aha! . . . Maar is er dan niemand op de Aarde?

— Hier ben je in de woestijn. In de woestijnen woont niemand. De Aarde is groot, zei de slang.

De kleine prins ging op een steen zitten en keek naar de hemel.

— Ik vraag me af of de sterren licht geven, zei hij, om iedereen zijn eigen ster te helpen terugvinden. Kijk daar is mijn planeet, precies boven ons . . . Maar wat is ze ver.

— Ze is heel mooi, zei de slang. Wat kom je hier doen?

— Ik heb moeilijkheden met een bloem, zei het prinsje.

— O, zei de slang.

En toen zwegen ze.

— Waar zijn de mensen? vroeg de kleine prins eindelijk. Het is wel een beetje eenzaam in de woestijn . . .

— Bij de mensen ben je ook eenzaam, zei de slang.

De kleine prins keek hem eens lang aan:

— Je bent een raar beest, zei hij tenslotte, zo dun als mijn vinger . . .

— Maar ik ben machtiger dan de vinger van een koning, zei de slang.

De kleine prins moest even lachen.

— Zo erg machtig ben je niet . . . je hebt niet eens poten . . . je kunt niet eens reizen . . .

— Ik kan je verder wegbrengen dan een schip, zei de slang.

Hij kronkelde zich om de enkel van de kleine prins als een gouden armband.

— Wie ik aanraak geef ik terug aan de aarde waaruit hij is ontstaan, zei hij nog. Maar jij bent rein en je komt van een ster.

De kleine prins antwoordde niets.

— Ik heb met je te doen: je bent zo zwak en dan op de

Je bent een raar beest, zei hij tenslotte,
zo dun als mijn vinger . . .

keiharde Aarde. Ik kan je wel eens helpen als je erg naar je planeet verlangt. Ik kan . . .

— O, ik begrijp je heel goed, zei de kleine prins, maar waarom spreek je altijd in raadselen?

— Ik los alle raadsels op, zei de slang.

En toen zwegen ze beiden.

XVIII

DE kleine prins trok de woestijn door en kwam één enkele bloem tegen. Een bloem met drie bloemblaadjes, een bloempje van niets . . .

— Goede morgen, zei de kleine prins.

— Goede morgen, zei de bloem.

— Waar zijn de mensen? vroeg de kleine prins beleefd.

De bloem had vroeger eens een karavaan zien langskomen:

— De mensen? Er bestaan er geloof ik zes of zeven. Die heb ik jaren geleden eens gezien. Maar je weet nooit waar je ze kunt vinden. De wind jaagt ze in het rond. Ze hebben geen wortels, dat is erg lastig voor ze.

— Dààg, zei de kleine prins.

— Dag, zei de bloem.

XIX

De kleine prins klom bovenop een hoge berg. De enige bergen die hij kende waren zijn drie vulkanen, die niet hoger reikten dan zijn knie. En de dode vulkaan gebruikte hij als krukje om op te zitten.

— Van de top van zo'n hoge berg, zei hij bij zichzelf, kan ik natuurlijk ineens de hele planeet en alle mensen zien. Maar hij zag niets anders dan scherpe rotspunten.

— Goede morgen, zei hij op goed geluk.

— Goede morgen... goede morgen... goede morgen... antwoordde de echo.

— Wie ben je? zei de kleine prins.

— Wie ben je... wie ben je... wie ben je... antwoordde de echo.

— Willen jullie mijn vrienden zijn, ik ben alleen, zei hij.

— Ik ben alleen... ik ben alleen... ik ben alleen... antwoordde de echo.

— Wat een rare planeet! dacht hij toen. Helemaal dor en puntig en zout. En de mensen hebben geen fantasie. Ze praten gewoon na wat men hun voorzegt . . . Denk dan eens aan mijn bloem: die sprak altijd het eerst.

XX

MAAR toen de kleine prins lang gelopen had door het zand, de rotsen en de sneeuw, ontdekte hij eindelijk een weg. En wegen voeren altijd naar de mensen.

— Goede morgen, zei hij.

Het was een tuin met bloeiende rozen.

— Goede morgen, zeiden de rozen.

De kleine prins bekeek ze eens. Ze leken allemaal op zijn bloem.

— Wie ben je? vroeg hij hun, stomverbaasd.

— Wij zijn rozen, zeiden de rozen.

— O! zei de kleine prins.

En hij was heel ongelukkig. Zijn bloem had hem verteld dat ze enig in haar soort was in het heelal. En nu stonden er vijfduizend, precies dezelfde, in één enkele tuin.

'Wat zou ze zich ergeren, dacht hij, als ze dat zag. Ze zou geweldig gaan hoesten en net doen of ze dood ging, om haar figuur te redden. En ik zou wel moeten doen alsof ik haar verzorgde — want anders was ze in staat om echt te sterven, alleen om mij ook een figuur te laten slaan.'

En toen dacht hij nog: 'Ik vond mezelf nog wel zo rijk met die ene bloem, en het is maar een doodgewone roos.

Deze planeet is helemaal dor, en puntig en zout

Die roos en mijn drie vulkanen die niet hoger reiken dan mijn knie en waarvan er een misschien voor goed is uitgedoofd — met dat al ben ik toch niet zo'n geweldige prins . . .' En hij ging in het gras liggen en huilde.

XXI

En toen verscheen de vos.

— Goede morgen, zei de vos.

— Goede morgen, zei de kleine prins beleefd, en hij draaide zich om maar zag niets.

— Hier ben ik, onder de appelboom, zei de stem.

— Wie ben je? vroeg het prinsje. Je bent beeldig.

— Ik ben een vos, zei de vos.

— Kom met me spelen, stelde het prinsje voor, ik ben zo verdrietig . . .

— Ik kan niet met je spelen, zei de vos. Ik ben niet tam.

— O, pardon, zei de kleine prins.

Maar bij nader inzien vroeg hij:

— Wat is dat 'tam'?

— Jij komt niet uit deze buurt, zei de vos, wat zoek je hier?

— Ik zoek de mensen, zei het prinsje. Wat betekent 'tam'?

— De mensen, zei de vos, hebben geweren en ze jagen. Dat is erg lastig! Ze houden ook kippen. Dat is hun enige nut. Zoek je kippen?

— Nee, zei het prinsje. Ik zoek vrienden. Wat betekent 'tam'?

— Dat is maar al te zeer een vergeten woord, zei de vos. Het betekent 'verbonden'.

— Verbonden? . . .

— Ja zeker, zei de vos. Jij bent voor mij maar een klein jongetje als alle andere kleine jongetjes. En ik heb je niet nodig. Ik ben voor jou een vos als alle andere vossen. Maar als je me tam maakt, dan zullen we elkaar nodig hebben. Dan ben je voor mij enig op de wereld en ben ik voor jou enig op de wereld . . .

— Ik begin het te begrijpen, zei de kleine prins. Er is een bloem . . . die mij geloof ik tam heeft gemaakt . . .

— Dat is best mogelijk, zei de vos. Men ziet van alles op de aarde . . .

— O, maar dit is niet op de aarde.

De vos keek erg nieuwsgierig:

— Op een andere planeet?

— Ja.

— Zijn daar ook jagers, op die planeet?

— Nee.

— Dat is geweldig! En kippen?

— Nee.

— Niets is volmaakt, zuchtte de vos.

Maar de vos ging door met zijn uitlegging:

— Mijn leven is eentonig. Ik jaag kippen en de mensen jagen mij. Alle kippen lijken op elkaar en alle mensen lijken op elkaar. Dus verveel ik me wel een beetje. Maar als jij me tam maakt, dan wordt mijn leven vol zon. Dan ken ik voetstappen, die van alle andere verschillen. Voor andere voetstappen kruip ik weg onder de grond, maar jouw stap zal me juist uit mijn hol roepen, als muziek.

En kijk eens! Zie je daar de korenvelden? Nu eet ik geen brood. Ik heb niets aan koren en korenvelden zeggen me niets — dat is heel verdrietig. Maar jij hebt goudkleurig haar. Dan zal het heerlijk zijn als je me tam gemaakt hebt! Door het goudkleurige koren zal ik aan jou moeten denken. En ik zal het geluid van de wind in het koren mooi vinden . . .

De vos werd stil en keek het prinsje lang aan:

— Alsjeblieft . . . wil je me tam maken? zei hij.

— Ja dat wil ik wel, antwoordde de kleine prins, maar veel tijd heb ik niet. Ik moet vrienden ontdekken allerlei dingen leren kennen.

— Alleen de dingen die je tam maakt, leer je kennen, zei de vos. De mensen hebben geen tijd meer iets te leren kennen. Ze kopen dingen klaar in winkels. Maar doordat er geen winkels zijn die vrienden verkopen, hebben de mensen geen vrienden meer. Als je een vriend wilt, maak mij dan tam!

— Wat moet ik dan doen? zei het prinsje.

— Je moet véél geduld hebben, antwoordde de vos. Kijk, je gaat eerst een eindje van me af in het gras zitten. Ik bekijk je eens tersluiks en jij zegt niets. Woorden geven maar misverstand. Maar je kunt iedere dag een beetje dichterbij komen zitten . . .

De volgende dag kwam het prinsje terug.

— Je had beter op dezelfde tijd kunnen komen, zei de vos. Als je bijvoorbeeld om vier uur 's middags komt, begin ik om drie uur al gelukkig te worden. Hoe later het wordt, des te gelukkiger voel ik me. En om vier uur word ik al onrustig; zo zal ik de waarde van het geluk leren kennen! Maar als je op een willekeurige tijd komt, dan weet ik nooit hoe laat ik mijn hart klaar moet maken . . .

Riten moeten er zijn.

— Wat is een rite? zei de kleine prins.

— Dat is ook een vergeten begrip, zei de vos. Een rite maakt dat de ene dag verschilt van alle andere dagen, het ene uur van alle andere uren. Mijn jagers hebben bijvoorbeeld een rite. Op donderdag dansen zij met de meisjes uit het dorp. Donderdag is een heerlijke dag! Dan kan ik gaan wandelen tot aan de wijnbergen. Als de jagers op willekeurige dagen dansten, zouden alle dagen gelijk zijn en ik zou nooit vrij hebben.

Zo maakte de kleine prins de vos tam, en het uur van vertrek naderde.

— Ach, zei de vos, . . . ik zal huilen.

— 't Is je eigen schuld, zei de kleine prins; ik wenste je niets kwaads toe maar jij wilde dat ik je tam zou maken.

— Ja zeker, zei de vos.

— En nu moet je huilen, zei de kleine prins.

— Ja zeker, zei de vos.

— Dus daar win je niets bij!

— Ik win er wel bij, zei de vos, wegens de kleur van het korenveld.

En hij vervolgde:

— Ga nog maar eens naar de rozen. Dan zul je begrijpen, dat jouw roos enig is op de wereld. Kom me dan goedendag zeggen, dan zal ik je een geheim meegeven.

Als je bijvoorbeeld om vier uur 's middags komt,
begin ik om drie uur al gelukkig te worden

De kleine prins ging weer naar de rozen kijken:

— Jullie lijkt helemaal niet op mijn roos, jullie bent nog niets, zei hij. Niemand heeft je nog tam gemaakt en jullie hebt ook niemand tam gemaakt. Jullie bent net zoals mijn vos was.

Hij was maar een vos zoals alle anderen. Maar ik heb er een vriend van gemaakt en nu is hij enig op de wereld.

En de rozen werden erg verlegen.

— Je bent wel mooi, maar je bent leeg, zei hij nog.

Niemand kan voor je sterven.

Natuurlijk zou een willekeurige voorbijganger geen verschil zien tussen mijn eigen roos en jullie. Maar toch is zij, zij alleen, veel belangrijker dan jullie allen, omdat ik haar water heb gegeven, en haar onder een stolp heb gezet; omdat ik haar heb beschut met een kamerscherm en de rupsen voor haar heb gedood (behalve een enkele hier en daar, voor de vlinders); omdat ik haar klachten en haar gesnoef en zelfs haar zwijgen heb aangehoord; omdat zij mijn roos is.

En hij ging terug naar de vos:

— Vaarwel, zei hij . . .

— Vaarwel, zei de vos. Dit is mijn geheim, het is heel eenvoudig: alleen met het hart kunt je goed zien. Het wezenlijke is voor de ogen onzichtbaar.

— Voor de ogen is het wezenlijke onzichtbaar, herhaalde de kleine prins, om het goed te onthouden.

— Alle tijd die je aan je roos besteed hebt, maakt je roos juist zo belangrijk.

— De tijd die ik aan mijn roos besteed heb . . . zei de kleine prins, om het goed te onthouden.

— Dat is een waarheid, die de mensen vergeten hebben, zei de vos. Maar die moet jij niet vergeten. Je blijft altijd

En hij ging in het gras liggen en huilde

verantwoordelijk voor wat je tam hebt gemaakt. Je bent verantwoordelijk voor je roos . . .

— Ik ben verantwoordelijk voor mijn roos, zei de kleine prins om het goed te onthouden.

XXII

— Goedendag, zei de kleine prins.

— Goedendag, zei de wisselwachter.

— Wat doe jij hier? vroeg de kleine prins.

— Ik sorteer de reizigers in groepjes van duizend, zei de wisselwachter. De treinen waarin ze rijden stuur ik om de beurt naar links en naar rechts.

Een verlichte sneltrein kwam met donderend geraas langs en het seinhuisje stond ervan te trillen.

— Wat hebben ze een haast, zei de kleine prins. Wat zoeken ze eigenlijk?

— Dat weet de man op de locomotief zelf niet, zei de wisselwachter.

En een tweede verlichte sneltrein donderde in de andere richting langs.

— Komen ze nu al terug? vroeg het prinsje . . .

— Nee, dat zijn niet dezelfde, zei de wisselwachter. Ze ruilen van plaats.

Vonden ze het niet prettig, daar waar ze eerst waren?

— Men is nooit tevreden, waar men is, zei de wisselwachter.

Toen raasde een derde verlichte sneltrein voorbij.

— Zitten die de eerste reizigers achterna? vroeg de kleine prins.

— Ze zitten niets achterna, zei de wisselwachter. Ze slapen daarbinnen of ze gapen. Alleen de kinderen drukken hun neus plat tegen de ruit.

— Kinderen alleen weten, wat ze zoeken, zei de kleine prins. Ze verdoen hun tijd aan een pop van oude lappen en die wordt dan heel belangrijk. Ze huilen als de pop hun wordt afgenomen . . .

— Die zijn dan goed af, zei de wisselwachter.

XXIII

— GOEDENDAG, zei de kleine prins.

— Goedendag, zei de koopman.

Hij verkocht uitstekende dorstlessende pillen. Men

slikt eens in de week een pil en voelt nooit meer behoefte aan drinken.

— Waarom verkoop je die? vroeg het prinsje.

— Het is een grote tijdsbesparing, zei de koopman. De geleerden hebben het uitgerekend. Je spaart drieënvijftig minuten in de week.

— En wat doe je dan met die drieënvijftig minuten?

— Daar doe je mee wat je wilt...

'Als ik drieënvijftig minuten over had, dacht het prinsje bij zichzelf, dan liep ik heel rustig naar een bron...'

XXIV

Het was al de achtste dag van mijn oponthoud in de woestijn en ik had naar het verhaal van die koopman geluisterd onder het opdrinken van de laatste druppel uit mijn watervoorraad.

— Ach, zei ik tegen het prinsje, ik vind je reisherinneringen erg aardig, maar ik ben nog niet klaar met mijn vliegtuig, er is niets meer te drinken en ik zou het ook wel heerlijk vinden om heel rustigjes naar een bron te kunnen wandelen!

— Mijn vriend de vos, zei hij...

— Maar kereltje, het gaat nu niet meer om de vos!

— Waarom?

— Omdat we van dorst zullen moeten sterven.

Hij begreep mijn redenering niet maar antwoordde:

— Het is goed een vriend gehad te hebben, zelfs als je moet sterven. Ik ben erg blij, dat ik een vos tot vriend heb gehad.

— Hij ziet het gevaar niet, dacht ik bij mezelf. Hij voelt noch honger, noch dorst. Hij heeft aan een beetje zon genoeg...

Maar toen keek hij me aan en gaf antwoord op wat ik dacht.

— Ik heb ook dorst... Laten we een put zoeken...

Ik maakte een vermoeid gebaar: het was onzinnig om in het wilde weg een put te zoeken in de onmetelijke woestijn. Maar we gingen toch op stap.

Toen we uren lang zwijgend gelopen hadden viel de nacht in en de sterren begonnen te schijnen. Ik zag ze als in een droom, omdat ik wat koorts had van de dorst. De woorden van de kleine prins dansten door mijn geheugen:

— Heb je dan ook dorst? vroeg ik hem.

Maar hij beantwoordde mijn vraag niet. Hij zei alleen maar:

— Water kan ook goed zijn voor je hart.

Ik begreep zijn antwoord niet maar zei niets... Ik wist wel dat ik hem geen vragen moest stellen.

Hij was moe. Hij ging zitten en ik naast hem. En na een ogenblik stilte zei hij weer:

— De sterren zijn mooi, door die ene bloem die je niet ziet...

Ik antwoordde 'ja zeker' en bekeek zwijgend de golvingen van het zand in het maanlicht.

— De woestijn is mooi, zei hij...

En dat was waar. Ik heb altijd van de woestijn gehouden. Men gaat op een duin zitten. Men ziet niets en hoort niets. En toch straalt er iets in de stilte...

— De woestijn is zo mooi doordat er ergens een put verborgen is, zei de kleine prins.

Tot mijn verbazing begreep ik ineens die geheimzinnige uitstraling van het zand. Toen ik een klein jongetje was, woonde ik in een oud huis waarvan de legende zei dat er een schat begraven lag. Niemand had hem wel ooit ontdekt of er zelfs naar gezocht. Maar toch betoverde hij het hele huis. Mijn huis verborg een geheim in de diepte van zijn hart.

— Ja, zei ik tegen het prinsje, of het nu een huis is, sterren of de woestijn — hun werkelijke schoonheid is onzichtbaar.

— Ik ben blij, zei hij, dat je het eens bent met mijn vos.

Toen het kleine prinsje erg slaperig werd, nam ik hem in mijn armen en ging weer op weg. Ik voelde me ontroerd. Het was alsof ik een broze schat droeg. Ik had zelfs het gevoel dat er op aarde niets brozers bestond. Ik bekeek bij het maanlicht het bleke voorhoofd, de gesloten ogen en de haarlokken die trilden in de wind en ik dacht:

— Wat ik zie is maar een omhulsel. Het belangrijkste is onzichtbaar . . .

Terwijl zijn lippen zich half openden tot een glimlach, dacht ik nog: 'Wat me zo aangrijpt bij die kleine slapende prins, is zijn trouw aan een bloem, het beeld van een roos, dat binnenin hem straalt, zelfs in zijn slaap — als de vlam van een lamp . . .' En ik vond hem nog brozer.

Lampen moeten goed beschut worden: één windvlaag kan ze uitwaaien . . .

En terwijl ik zo liep ontdekte ik de put, bij het aanbreken van de dag.

Hij lachte, bevoelde het touw en liet de katrol draaien

XXV

— De mensen, zei de kleine prins, kruipen in sneltreinen, maar ze weten niet meer wat ze zoeken. Ze maken zich druk en draaien in een kring rond.

En hij voegde er aan toe:

— Het is de moeite niet waard . . .

De put die we bereikt hadden leek niets op een woestijnput. De putten in de Sahara zijn gewoon in het zand gegraven gaten. Maar deze leek op een dorpsput. Alleen was er nergens een dorp in de buurt en ik dacht dat ik droomde.

— Het is vreemd, zei ik tegen het prinsje, alles is in orde: de katrol, de emmer, het touw . . .

Hij lachte, bevoelde het touw en liet de katrol draaien. En die piepte als een oude windwijzer wanneer er lang geen wind geweest is.

— Hoor je het, zei de kleine prins, wij wekken de put en hij zingt . . .

Ik wilde niet dat hij zich inspande:

— Laat mij het maar doen, zei ik, het is te zwaar voor jou.

Langzaam hees ik de emmer tot aan de putrand en zette hem daar stevig neer. In mijn oren klonk nog het geluid van de katrol en in het trillende water zag ik de zon trillen.

— Ik heb trek in dat water, zei de kleine prins, geef me te drinken . . .

Toen begreep ik wat hij gezocht had. Ik bracht de emmer aan zijn lippen. Hij dronk met gesloten ogen. Het was als een feest. Dit water was heel wat meer dan voedsel.

Het sproot voort uit onze tocht onder de sterren, uit het geluid van de katrol en de inspanning van mijn armen. Dit water deed het hart goed, als een geschenk. Zo deden vroeger, toen ik klein was, het licht van de kerstboom, de muziek van de nachtmis en het zachte glimlachen om mij heen mijn kerstcadeautjes stralen.

— Bij jou kweken de mensen vijfduizend rozen in één tuin, zei het prinsje en ze vinden daarin niet wat ze zoeken.

— Nee, dat vinden ze niet, antwoordde ik.

— En toch zouden ze kunnen vinden wat ze zoeken in één enkele roos of in een beetje water.

— Ja, dat is zo, antwoordde ik.

En het prinsje voegde eraan toe:

— Maar ogen zijn blind. Met het hart moet men zoeken.

Ik had gedronken. Ik ademde vrij. Het zand is in de vroege morgen honingkleurig. Ook die honingkleur stemde me gelukkig. Waarom moest ik dan toch verdriet voelen . . .

— Je moet je belofte houden, zei de kleine prins zachtjes; hij was weer bij me komen zitten.

— Welke belofte?

— Je weet wel . . . een muilkorf voor mijn schaap . . . ik ben verantwoordelijk voor die bloem!

Ik haalde mijn schetsen uit mijn zak. De kleine prins zag ze en zei lachend:

— Je apebroodbomen lijken een beetje op groene kool . . .

— Zo!

Ik was nog wel zo trots op die apebroodbomen!

En je vos. Zijn oren lijken wel wat op horens . . . en ze zijn te lang!

En hij lachte weer.

— Je bent onbillijk, klein kereltje, ik heb immers nooit iets anders kunnen tekenen dan open boa's en dichte boa's.

— O, het zal best gaan, zei hij, de kinderen weten wel wat er bedoeld wordt.

Ik krabbelde dus een muilkorf en ik voelde me beklemd toen ik hem de tekening gaf:

— Je hebt plannen waar ik niet van weet . . .

Maar hij antwoordde me niet, hij zei:

— Weet je, morgen is het een jaar geleden dat ik neerkwam op de aarde . . .

En na een stilte vervolgde hij:

— Hier vlakbij ben ik gevallen . . .

En hij bloosde.

En weer voelde ik een vreemd verdriet, zonder te weten waarom. Toch kwam er een vraag bij me op:

— Was het dan geen toeval, die ochtend dat ik je tegenkwam acht dagen geleden, dat je daar zo heel alleen rond liep, op duizend mijl afstand van de bewoonde wereld?

De kleine prins kreeg weer een kleur. En ik vervolgde aarzelend:

— Misschien, . . . juist na een jaar?

De kleine prins bloosde weer. Hij antwoordde nooit op vragen, maar als iemand een kleur krijgt, betekent het toch 'Ja' niet waar?

— O, zei ik, ik ben bang . . .

Maar hij antwoordde me:

— Nu moet je weer aan het werk. Je moet terug naar je machine. Ik wacht hier. Kom morgenavond terug . . .

Maar gerust was ik niet. Ik dacht aan de vos. Het kan wel eens op tranen uitlopen als men tam is gemaakt.

XXVI

Naast de put stond een oude bouwvallige muur.

Toen ik de volgende avond van mijn werk kwam, zag ik al uit de verte mijn kleine prins op de muur zitten met bengelende benen. En ik hoorde hem spreken:

— Weet je het dan niet meer? zei hij. Dit is niet precies de plaats.

Een andere stem gaf zeker antwoord en toen zei hij weer:

— Jawel, 't is wèl de dag, maar niet de plek . . .

Ik liep door, op de muur af. Nog altijd zag of hoorde ik niemand. Toch antwoordde de kleine prins weer:

— . . . Ja zeker. Je zult zien waar mijn voetsporen in het zand beginnen. Wacht daar maar. Vannacht zal ik er zijn.

Ik was nu op twintig meter van de muur en ik zag nog steeds niets.

De kleine prins sprak weer, na een stilte:

— Heb je wel goed vergif? Je zult me toch niet lang pijn doen?

Ik bleef staan met een beklemd hart maar begreep er nog altijd niets van.

— Ga nu weg, zei hij, . . . ik wil er af!

Toen richtte ik mijn ogen op de voet van de muur en er ging een schok door me heen. Daar stond, opgericht naar het prinsje toe, een van die gele slangen die een mens in dertig seconden doden. Ik voelde in mijn zak naar mijn revolver en begon hard te lopen — maar op het geluid dat ik maakte liet de slang zich zacht in het zand glijden, als een stervende fontein en zonder zich te haasten kronkelde hij zich tussen de stenen met een metaalachtig geluid.

Ik was juist op tijd bij de muur om mijn kleine kereltje in mijn armen op te vangen, doodsbleek.

— Wat is dat nu! Praat je nu met slangen? Ik had zijn goudkleurige das wat los gemaakt, zijn slapen bevochtigd en hem wat laten drinken. Hij keek me ernstig aan en sloeg de armen om mijn hals. Ik voelde zijn hart kloppen, als van een stervende vogel die met de karabijn geschoten is. Hij zei:

— Ik ben blij dat je gevonden hebt wat er aan je machine mankeerde. Nu kun je naar huis . . .

— Hoe weet je dat?

Ik had hem juist willen vertellen dat de reparatie me, tegen alle verwachting in, gelukt was!

Hij antwoordde niets op mijn vraag maar vervolgde:

— Ik ga vandaag ook naar huis . . .

En toen, wat bedroefd:

— Dat is veel verder en moeilijker . . .

Ik voelde wel dat er iets wonderlijks aan het gebeuren was. Ik sloot hem vast in mijn armen als een klein kindje en toch was het alsof hij loodrecht weggleed in een afgrond zonder dat ik er iets aan kon doen . . .

Zijn blik was ernstig, op de verte gericht:

— Dus ik heb je schaap en de kist voor het schaap — en ik heb je muilkorf . . .

En hij glimlachte verdrietig.

Ga nu weg, zei hij . . . ik wil er af

Ik wachtte lang. Ik voelde dat hij langzamerhand warm werd:

— Arm klein kereltje, je bent geschrokken...

Ja, hij was zeker geschrokken! Maar hij lachte zachtjes.

— Vanavond krijg ik een nog veel erger schrik...

En weer bekroop mij het gevoel van iets onafwendbaars. Ik begreep dat ik de gedachte niet kon verdragen die lach nooit meer te zullen horen. Die lach was voor mij als een bron in de woestijn.

— Klein kereltje, ik wil je nog eens horen lachen...

Maar hij zei:

— Vannacht is het een jaar geleden. Dan staat mijn ster precies boven de plek waar ik verleden jaar gevallen ben.

— Kereltje, zei ik, is het niet alles een boze droom, je afspraak met de slang en die ster...

Maar hij beantwoordde mijn vraag niet en zei:

— Het belangrijkste kun je niet zien...

— Ja zo is het...

— Net als met de bloem. Als je van een bloem houdt die op een ster woont, dan is het heerlijk om 's nachts naar de hemel te kijken — dan zijn alle sterren met bloemen versierd.

— Ja zeker...

— Net als met het water. Het water waar je mij van liet drinken was als muziek — dat kwam van de katrol en het touw... weet je nog wel... hoe lekker het was.

— Ja zeker...

— Je moet 's nachts naar de sterren kijken. De mijne is te klein om je te wijzen waar ze is. Dat is ook beter zo. Voor jou is dan mijn ster één van de vele sterren. Je zult het prettig vinden alle sterren te bekijken ... Alle sterren zullen je vrienden zijn ...

En ik zal je ook nog iets geven.

Hij lachte weer.

— Och kereltje, kereltje wat hoor ik je graag lachen!

— Dat is juist mijn cadeau ... net als het water ...

— Wat bedoel je?

— Voor mensen hebben de sterren een verschillende betekenis. Voor sommige mensen die veel reizen dienen de sterren als gids. Voor anderen zijn het alleen maar lichtjes. Weer anderen, de geleerden, zien er grote vraagstukken in. Voor die zakenman die ik ken waren ze van goud. Maar al die sterren zwijgen.

Jij zult sterren hebben zoals niemand anders heeft ...

— Wat bedoel je toch?

— Als jij 's nachts naar de hemel kijkt zal het zijn alsof alle sterren lachen — omdat ik een ster bewoon en omdat ik lach!

En weer lachte hij.

— En als je eenmaal getroost bent (de mensen troosten zich altijd) dan zul je heel blij zijn, dat je me gekend hebt. Je zult altijd mijn vriend zijn en je zult met me mee willen lachen. En dan zul je van tijd tot tijd voor je plezier het raam open doen ... En je vrienden zullen heel verbaasd zijn je te zien lachen, als je naar de hemel kijkt. Dan zeg je tegen ze: 'Ja, om de sterren moet ik altijd lachen!' En ze zullen denken, dat je gek bent — dan ben je er door mij lelijk ingelopen ...

En weer lachte hij.

— Het zal net zijn of ik je in plaats van sterren een massa rinkelbelletjes heb gegeven ...

Hij lachte nog eens maar werd toen ernstig:

— Vannacht... weet je... moet je maar niet komen.

— Ik blijf bij je.

— Het zal zijn alsof ik pijn heb, een beetje alsof ik sterf. Zo is het nu eenmaal. Kom daar maar niet naar kijken. Het is de moeite niet waard...

— Ik blijf toch bij je...

Maar hij was bezorgd.

— Ik zeg je dat vanwege de slang. Jou moet hij niet bijten... Slangen zijn kwaadaardig, soms bijten ze voor hun plezier.

— En toch blijf ik bij je.

Er was iets dat hem geruststelde:

— Het is waar, dat ze geen gif meer overhouden voor een tweede beet...

Die nacht merkte ik niet dat hij op weg ging.

Muisstil was hij me ontsnapt. Toen het me gelukte hem in te halen liep hij met grote vlugge stappen.

Hij zei alleen:

— O, ben je daar...

En hij nam mijn hand maar zei toch nog:

— Je hebt ongelijk. Je krijgt verdriet. Het zal lijken alsof ik dood ben en dat is niet zo...

Ik zweeg.

— Begrijp je het niet. Het is te ver. Ik kan dit lichaam niet meenemen. Het is veel te zwaar.

Ik zweeg.

— Het zal niet anders zijn dan een oud omhulsel dat weggegooid wordt. Daar is niets verdrietigs aan.

Ik zweeg.

Hij verloor een beetje de moed maar spande zich nog eens in.

— Het zal heel aardig zijn weet je. Ik zal ook naar de sterren kijken en voor mij zal elke ster een put zijn met een roestige katrol . . .

Ik zweeg.

— Wat zal dat grappig zijn! Jij krijgt vijfhonderd miljoen rinkelbelletjes en ik vijfhonderd miljoen putten . . .

En toen zweeg hij ook omdat hij moest huilen . . .

— We zijn er. Laat me nu even een stap alleen doen.

En hij ging zitten omdat hij angstig was.

Toen zei hij weer:

— Weet je . . . die bloem van mij . . . daar ben ik ver-antwoordelijk voor! Ze is zo zwak! En zo goedgelovig. Ze heeft vier doornen van niets als bescherming tegen de hele wereld . . .

Ik ging zitten omdat ik me niet langer staande kon houden.

Hij zei:

— Zo . . . dat is alles.

Even aarzelde hij nog, stond toen op en deed een stap vooruit. Ik voelde me verstijven.

Even was er een gele flits bij zijn enkel. Hij bleef een ogenblik onbeweeglijk staan. Hij gilde niet maar viel langzaam neer, als een boom. Er was zelfs geen geluid te horen, door het zand.

XXVII

En nu is het dus, o ja, alweer zes jaar geleden... Ik heb dit verhaal nog nooit verteld. Toen mijn vrienden me terugzagen, waren ze erg blij dat ik nog leefde. Ik was verdrietig, maar ik zei maar dat het vermoeidheid was...

Nu ben ik een beetje getroost. Niet helemaal. Maar ik weet wel, dat hij aangekomen is op zijn planeet want zijn lichaam heb ik 's morgens niet teruggevonden. Het was niet zo'n zwaar lichaam. En ik vind het heerlijk 's nachts naar de sterren te luisteren. Net vijfhonderd miljoen rinkelbelletjes...

Maar nu is er nòg iets heel bijzonders. Aan de muilkorf, die ik getekend heb voor de kleine prins, heb ik een leren riempje vergeten! Die zal hij dus zijn schaap nooit stevig hebben kunnen omdoen. En nu vraag ik me af: 'Wat zal er op de planeet gebeurd zijn? Misschien heeft het schaap de bloem wel opgegeten...'

De ene keer denk ik: 'Nee vast niet! Het prinsje sluit zijn bloem elke nacht onder een glazen stolp en hij let goed op zijn schaap...'

Dan ben ik gelukkig en alle sterren lachen zachtjes. Maar daarna denk ik weer:

— Op een keer kun je verstrooid zijn en dan is het gebeurd! Hij hoeft maar één avond de glazen stolp te vergeten — of het schaapje is 's nachts stilletjes naar buiten gegaan. Dan worden alle rinkelbelletjes tot tranen!

Dat is iets héél geheimzinnigs. Noch voor jullie, die ook van het prinsje houden, noch voor mij is het heelal hetzelf-

Hij viel langzaam neer als een boom

de, wanneer ergens — niemand weet waar — een schaap, dat we niet kennen, wel of niet een roos heeft opgegeten.

Kijk eens naar de hemel. En vraag je dan af: heeft het schaap de bloem opgegeten, ja of neen? En dan zul je zien hoe alles anders wordt.

En nooit zal een groot mens kunnen begrijpen hoe belangrijk het is!

DIT is voor mij het mooiste maar ook het droevigste landschap ter wereld. Het is hetzelfde als dat van de vorige bladzijde, maar ik heb het nog een keer getekend om het jullie goed te laten zien. Dit is de plek waar de kleine prins op aarde verschenen en later weer verdwenen is.

Bekijk dit landschap goed — dan ben je er zeker van het te herkennen als je later eens door de Afrikaanse woestijn reist. En als je daar langs komt heb dan alsjeblieft geen haast maar wacht even, vlak onder de ster! En als er dan een kind naar je toekomt dat lacht en goud haar heeft en hij antwoordt niet op wat je hem vraagt, dan kun je wel raden wie hij is.

Och, wees dan lief en verlos me van mijn verdriet, schrijf me gauw dat hij er weer is . . .

CIP-GEGEVENS

Saint-Exupéry, Antoine de

De kleine prins / Antoine de Saint-Exupéry ; met tek. van de schrijver;
[vert. uit het Frans door Laetitia de Beaufort-van Hamel]. — Rotterdam :
Donker. — Ill.
Vert. van: Le petit Prince. — Parijs : Gallimard. — Oorspr. uitg. : New
York : Reynal and Hitchcock, 1943
ISBN 90-6100-281-8
UDC 82-31   NUGI 301
Trefw. : novellen ; vertaald.

27e druk 2001
© Uitgeversmaatschappij Ad. Donker bv, Rotterdam 1951
Niets uit deze uitgave mag op enigerlei wijze worden verveelvoudigd en/of openbaar
gemaakt zonder voorafgaande schriftelijke toestemming van de uitgever
Verspreiding in België: Uitgeverij C. de Vries-Brouwens, bvba,
Antwerpen